La série XIII a été créée par WILLIAM VANCE et JEAN VAN HAMME

I. JIGOUNOV · Y. SENTE

LE JOUR DU MAYFLOWER

XIII

Avec la participation artistique et amicale de W. Vance
sur la couverture et sur les pages 42 à 45.

Couleurs :
Bérengère Marquebreucq

BENELUX

La case 2 de la page 45 est inspirée d'une ancienne peinture
de T. H. Matteson, *The Signing of the Mayflower Compact* (1859),
et la case 4 de la page 45 est inspirée du tableau de Jennie A. Brownscombe,
The First Thanksgiving at Plymouth (1914).

www.dargaud.com

© 2011 JIGOUNOV - SENTE - DARGAUD BENELUX (Dargaud-Lombard s.a.)
PREMIÈRE ÉDITION
Tous droits de traduction, de reproduction et d'adaptation strictement réservés pour tous pays.
Dépôt légal : d/2011/0086/430 • ISBN 978-2-5050-1294-8
Imprimé en France par PPO Graphic - 91 120 Palaiseau

VOTRE RÉCIT, M. MACLANE, CONFIRME LE DIAGNOSTIC DE MON CONFRÈRE : LE TRAUMATISME ORGANIQUE CAUSÉ PAR CETTE BALLE PERDUE SEMBLE SE COMBINER CHEZ VOUS À UNE SORTE DE REFUS DE FIXATION DES SOUVENIRS. CE REFUS SERAIT, LUI, D'ORIGINE PARAPSYCHOTIQUE.

EN CLAIR, SI LES TENTATIVES D'HYPNOSE DU DOCTEUR LIPSKY* N'ONT RIEN APPORTÉ, C'EST PARCE QUE VOTRE PROPRE SUBCONSCIENT VOUS INTERDIT DE ROUVRIR LE PASSÉ. PROBABLEMENT À CAUSE D'UN ÉVÉNEMENT PÉNIBLE QUE VOUS NE VOULEZ PAS REVIVRE. C'EST CE QUI BLOQUE TOUT LE RESTE...

Doctor
Suzanne Levinson

Psychiatrist BM
Psychotherapy

* VOIR TOME 6, "LE DOSSIER JASON FLY".

VOUS DEVEZ ESSAYER DE REPLONGER DANS VOS SOUVENIRS D'ENFANCE. LA PÉRIODE VÉCUE JUSQU'À VOS SEIZE OU DIX-SEPT ANS DOIT CONTENIR CERTAINEMENT LA CLÉ DE VOTRE PRISON MENTALE.

VOUS DEVEZ FOUILLER... ET ESPÉRER.

ET COMMENT VOULEZ-VOUS QUE JE FASSE, DOCTEUR ? PLUS DE PARENTS, MAISON D'ENFANCE DÉTRUITE, ANCIEN COLLÈGE REMPLACÉ PAR UNE GRANDE SURFACE, LOCAUX D'UNIVERSITÉ RÉNOVÉS ET ARCHIVES DISPARUES... IL N'Y A PLUS D'ENDROITS OÙ FOUILLER !

MMH... IL Y A PEUT-ÊTRE QUELQUE CHOSE À TENTER. POUR AUTANT QUE JE PARVIENNE À VOUS FAIRE ACCEPTER PAR LE RESPONSABLE DU PROGRAMME AUQUEL JE PENSE... MAIS JE DOIS VOUS PRÉVENIR : L'EXPÉRIENCE POURRAIT SE RÉVÉLER DOULOUREUSE.

JE VOUS ÉCOUTE.

UN NEUROCHIRURGIEN DE TORONTO A DÉCOUVERT ACCIDENTELLEMENT UN NOUVEAU MÉCANISME DE STIMULATION DE LA MÉMOIRE. PEU APRÈS, LE PROFESSEUR PATRICK DOUGLAS EST PARVENU À "REPRODUIRE L'ACCIDENT" ICI MÊME, AU MAINE GENERAL MEDICAL CENTER D'AUGUSTA !

JE CONNAIS BIEN LE PROFESSEUR DOUGLAS. JE PEUX L'APPELER ET LUI PARLER DE VOTRE CAS.

MERCI, DOCTEUR.

BAR HARBOR 10

NORTHEAST HARBOR 2

BANG

KRASH

À... À L'AIDE ! IL FAUT...

MON COPAIN ! IL FAUT LE SORTIR DE LÀ !

AAAH! MA JAMBE! ELLE EST... MMPF... COINCÉE!

TIENS BON, PHIL! ON ARRIVE...

JE VAIS ESSAYER DE SOULEVER LE TABLEAU DE BORD. PRÊT À EXTRAIRE VOTRE COPAIN?

SA JAMBE EST DÉGAGÉE! TIREZ!

AAAAH!

IL FAUT S'ÉLOIGNER! TOUT DE SUITE!

WAOUM

3

5

FOI DE BIG JOE, DÈS QU'ON EST SUR PIED, ON TE PAYE UN FÛT DE BUDWEISER AUTOUR D'UN SOLIDE "CLAMBAKE", MON GARS ! IL FAUDRAIT JUSTE QUE JE CONNAISSE TON NOM.

MAC LANE ! IL S'APPELLE JASON MAC LANE !

MAINTENANT, Y EN A MARRE ! DEPUIS QUE VOUS ÊTES À BAR HARBOR, VOUS ÊTES DE TOUTES LES EMBROUILLES !

QU'EST-CE QUI TE PREND, HERB ?! TU DEVIENS FOU ?

HEU... CET HOMME N'EST POUR RIEN DANS L'ACCIDENT, CHIEF. IL A SAUVÉ...

VOUS NE L'AVEZ PAS RECONNU ?!! C'EST LE TYPE DE LA TÉLÉ. CELUI QUI A ÉTÉ MÊLÉ À L'ASSASSINAT DU PRÉSIDENT SHERIDAN. C'EST AUSSI CELUI QUI AVAIT ÉTÉ RECUEILLI PAR ABE ET SALLY SMITH* SANS PARLER DE MARTHA... CE TYPE SÈME LA MORT COMME TOI TES HAMEÇONS, JOE !

TU DÉLIRES, HERB ! CE GARS VIENT DE NOUS SAUVER LA VIE À PHIL ET À MOI ! TU FERAIS MIEUX DE SURVEILLER L'ÉTAT LAMENTABLE DES ROUTES ET DE LAISSER MARTHA LÀ OÙ ELLE EST...

ALLEZ-Y, JOE. VOTRE AMI DOIT SE FAIRE SOIGNER ET JE NE RISQUE RIEN.

À MOINS QUE VOUS NE M'ARRÊTIEZ POUR "ASSISTANCE ILLÉGALE À PERSONNE EN DANGER", JE RENTRE CHEZ MOI, CHIEF. BONNE SOIRÉE...

● VOIR TOME 1, "LE JOUR DU SOLEIL NOIR".

IL ARRIVE. TU AS LES PRÉLÈVEMENTS DE CHEVEUX ?... BON. JE ME CHARGE DE SA VOITURE...

BONSOIR, M. MAC LANE.

JE SUIS ENTRÉE PAR LE PATIO. JE NE VOULAIS PAS ATTIRER L'ATTENTION EN VOUS ATTENDANT DEHORS.

QUI ÊTES-VOUS ET, SURTOUT, QUE VOULEZ-VOUS ?

JE M'APPELLE JULIANNE... ET JE SUIS VENUE VOUS PROPOSER DE RETROUVER VOTRE DIGNITÉ D'AMÉRICAIN, M. MAC LANE.

JE TRAVAILLE POUR USAFE INCORPORATED. NOTRE SOCIÉTÉ PROPOSE UNE LARGE GAMME DE SERVICES DANS LE DOMAINE DE LA SÉCURITÉ. L'ARMÉE ELLE-MÊME FAIT APPEL À NOS SERVICES.

EN CLAIR, VOUS TRAVAILLEZ POUR UNE MILICE PRIVÉE DE TYPE "BLACKWATER" ET VOUS RECRUTEZ DES MERCENAIRES. JE VAIS VOUS FAIRE GAGNER DU TEMPS : JE NE SUIS PAS INTÉRESSÉ. OUBLIEZ-MOI !

VOUS OUBLIER ? JE POURRAIS FAIRE BEAUCOUP DE CHOSES POUR VOUS, M. "XIII". MAIS OUBLIER QUELQU'UN COMME VOUS...

LÀ, VOUS M'EN DEMANDEZ TROP !

7

RASSUREZ-VOUS, M. MAC LANE. CELA FAIT PLUS DE 15 ANS QUE LA FOOD AND DRUG ADMINISTRATION AMÉRICAINE A APPROUVÉ LA TECHNIQUE DITE DE "STIMULATION CÉRÉBRALE". PRINCIPALEMENT POUR TRAITER LES DÉPRESSIONS, LE TREMBLE-MENT PARKINSONIEN OU MÊME POUR TENTER DE FREINER L'APPÉTIT DES GROS MANGEURS...

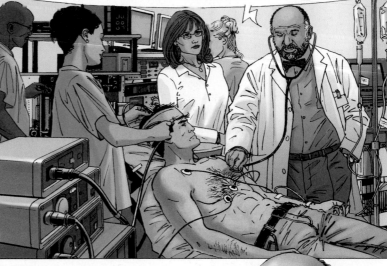

C'EST DANS CE CADRE QU'UN PATIENT OBÈSE A SUBI UNE STIMULATION ÉLECTRIQUE DE SON HYPOTHALAMUS. À SON RÉVEIL, IL AFFIRMA AVOIR REVÉCU DANS LE DÉTAIL UNE SCÈNE DE SON ENFANCE. SCÈNE QU'IL AVAIT TOTALEMENT OUBLIÉE AVANT LE JOUR DE L'INTERVENTION MAIS DONT ON A PU VÉRIFIER L'AUTHENTICITÉ !

IL SE TROUVE QUE LE NOYAU VENTRO-MÉDIAN DE L'HYPOTHALAMUS QUI DIRIGE L'APPÉTIT EST SITUÉ PRÈS DU FAISCEAU DE VICQ-D'AZYR, UN CORDON NERVEUX QUI APPARTIENT AUX CIRCUITS DE LA MÉMOIRE. LA STIMULATION ÉLECTRIQUE VOULUE AVAIT "DÉPASSÉ" LE NOYAU CIBLÉ ET A INVOLONTAIRE-MENT TOUCHÉ LE CORDON NERVEUX. CELUI-CI A ALORS RÉAGI EN FAISANT REMONTER UN SOUVENIR D'ENFANCE.

C'EST CET "ACCIDENT" QUE MON ÉQUIPE ET MOI-MÊME AVONS REPRODUIT VOLONTAIREMENT ET AVEC SUCCÈS SUR QUELQUES PATIENTS ATTEINTS DE DÉMENCE D'ALZHEIMER. ET CEUX-CI ONT ÉGALEMENT RETROUVÉ DES SOUVENIRS D'ENFANCE ! VOUS ÊTES MA PREMIÈRE TENTATIVE SUR UN CAS D'AMNÉSIE ACCIDENTELLE. JE NE PEUX DONC RIEN VOUS PROMETTRE, VOUS LE SAVEZ.

JE LE SAIS, PROFESSEUR. MAIS JE N'AI RIEN À PERDRE. ALLEZ-Y !

BRAD ? SA VOITURE EST TOUJOURS SUR LE PARKING...

DÉJÀ DEUX HEURES QU'ON ATTEND...

VOUS NE BOUGEZ PAS ET VOUS APPELEZ DÈS QU'IL SORT.

TOUT LE MONDE EST PRÊT ? JE LANCE LE PREMIER STIMULUS !

7

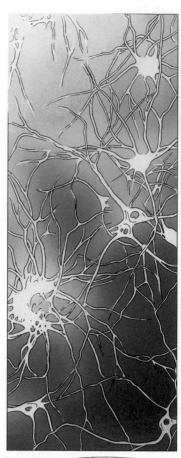

ENCORE MERCI DE BIEN VOULOIR CONDUIRE JASON À SON CAMP D'ÉTÉ, ZACH. JE DEVRAIS ÊTRE DE RETOUR LE 3 AOÛT.

TU SERAS BIEN SAGE, N'EST-CE PAS ?

PROMIS, PAPA.

JE N'AI PAS À VOUS DEMANDER CE QUE VOUS FAITES QUAND VOUS PARTEZ AINSI À CHAQUE FIN DE MOIS, JONATHAN. MAIS JE VOUS DEMANDE D'ÊTRE PRUDENT. PENSEZ À JASON.

NE VOUS INQUIÉTEZ PAS, ZEKE.

TOUT SE PASSE BIEN. PAS DE SIGNE ANORMAL DE NERVOSITÉ. JE LANCE LE SECOND STIMULUS.

St ANDREWS
ORPHANAGE

JASON! JASON! TU T'EN VAS ?

207

TU SAIS BIEN, JIM. MON PARRAIN M'EMMÈNE QUELQUES JOURS POUR THANKSGIVING. JE TE L'AI DIT. ET PUIS, TU AS MIKE...

MIKE, C'EST PAS PAREIL. ET PUIS... C'EST LONG, QUATRE JOURS.

C'EST LUI, JIM DRAKE? UN DE TES MEILLEURS AMIS, SI JE NE ME TROMPE PAS?

AVEC MIKE KRANE, OUI. LES PAUVRES, PERSONNE NE VIENT JAMAIS LES CHERCHER...

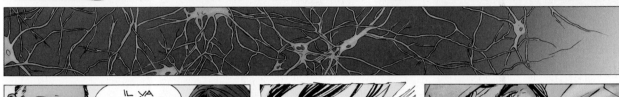

IL VA BIENTÔT SE RÉVEILLER.

TENEZ-VOUS PRÊTE À L'ÉPAULER, SUZANNE. QUI SAIT COMMENT IL VA RÉAGIR?

HELLO, JASON. C'EST MOI, LE DOCTEUR LEVINSON. TOUT VA BIEN. COMMENT VOUS SENTEZ-VOUS?

CE... C'ÉTAIT INCROYABLE! J'AI VU MON PÈRE ADOPTIF, DOCTEUR. POUR LA PREMIÈRE FOIS DEPUIS MON AMNÉSIE, JE L'AI "VU ET ENTENDU"! ET PUIS, J'AI ÉGALEMENT APERÇU...

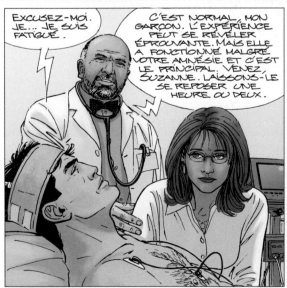

EXCUSEZ-MOI. JE... JE SUIS FATIGUÉ.

C'EST NORMAL, MON GARÇON. L'EXPÉRIENCE PEUT SE RÉVÉLER ÉPROUVANTE. MAIS ELLE A FONCTIONNÉ MALGRÉ VOTRE AMNÉSIE. ET C'EST LE PRINCIPAL. VENEZ, SUZANNE. LAISSONS-LE SE REPOSER UNE HEURE OU DEUX.

IL Y A UN SERVICE DE NEUROLOGIE PLUTÔT RÉPUTÉ DANS CET HÔPITAL. PAS COMPLIQUÉ DE DEVINER OÙ SE TROUVE NOTRE AMNÉSIQUE.

TANT QU'ILS NE LUI RENDENT PAS SON PASSÉ, TOUT VA BIEN...

9

JE VOUS APPELLERAI DÈS QUE LE PROFESSEUR DOUGLAS SERA EN MESURE DE TENTER UNE NOUVELLE EXPÉRIENCE. EN ATTENDANT, ESSAYEZ DE FAIRE TRAVAILLER VOTRE MÉMOIRE AUTOUR DES IMAGES REÇUES AUJOURD'HUI. ON NE SAIT JAMAIS...

ENTENDU, DOCTEUR. À BIENTÔT.

J'EN SERAIS TRÈS HEUREUSE, M. MACLANE.

TU L'AS ?

TCHRRK

JE L'AI !

WELCOME to BAR HARBOR
BIENVENUE
EST. 1796

Mount Desert Island Hospital
MAIN ENTRANCE

Emergency Room Entrance

JOE ! CONTENT DE VOUS REVOIR SUR PIED ! COMMENT VA VOTRE COPAIN ?

DEUX JAMBES CASSÉES. IL RÉCUPÈRE !

POUR CONNAÎTRE LES DÉTAILS, IL VA FALLOIR ACCEPTER UNE BIÈRE. ET TOUT DE SUITE !

10

QUOI QU'EN PENSE CET IMBÉCILE DE HERB, PHIL ET MOI TE DEVONS UNE FIÈRE CHANDELLE !

... MÊME SI CELA NE RÉSOUT PAS NOTRE PROBLÈME DE PLONGEUR.

C'EST-À-DIRE ?

PLUSIEURS FOIS PAR AN, IL FAUT PLONGER POUR RÉPARER LES FILINS QUI RELIENT NOS CASIERS À HOMARDS AVEC LES BOUÉES DE SURFACE. OR, C'EST PHIL, NOTRE PLONGEUR... D'APRÈS LES TOUBIBS, PAS QUESTION QU'IL RETOURNE AU FOND AVANT PLUSIEURS MOIS !

JE ME DÉFENDS EN PLONGÉE. VOUS N'AVEZ QU'À ME PRÉVENIR CHEZ ABE ET SALLY QUAND VOUS AUREZ BESOIN DE MOI.

DÉCIDÉMENT, ON VA T'APPELER "LE SAUVEUR", JASON.

AU SAUVEUR !

MOI AUSSI, J'AURAIS BESOIN D'UN COUP DE MAIN. L'UN DE VOUS AURAIT-IL UNE ADRESSE FACEBOOK QUE JE POURRAIS UTILISER ? JE VOUDRAIS RETROUVER UN VIEUX COPAIN DE CLASSE.

VIENS ! JE CONNAIS LE CODE DE MA NIÈCE PAR CŒUR. AVEC LE LOOK DE LOLITA QU'ELLE TIENT DE SA MÈRE, J'AIME AUTANT TE DIRE QUE PARTOUT OÙ ELLE VA SUR LE NET, JE VAIS AUSSI !

BON, NOUS Y SOMMES. ALORS ? IL S'APPELLE COMMENT, CE COPAIN ?

DRAKE... JIM DRAKE.

IL Y EN A QUATRE À CE NOM-LÀ. UNE DES PHOTOS TE DIT QUELQUE CHOSE ?

LE VOILÀ !

CELLE-LÀ, OUI.

BIZARRE. J'IMAGINAIS PAS CE GARS DU GENRE À SE TAPER DES BIÈRES DANS L'APRÈS-MIDI. EN FAIT, J'AURAIS MÊME JAMAIS CRU QU'IL AURAIT DES COPAINS DANS CE BLED DE PÊCHEURS...

ALLÔ ?
JIM DRAKE ?...
BONJOUR. JE
M'APPELLE JASON
MAC LANE. MAIS
VOUS M'AVEZ PEUT-
ÊTRE CONNU
SOUS LE NOM
DE FLY...

JA... JASON FLY ?! C'EST
BIEN TOI ?! CELA FAIT SI
LONGTEMPS ! JE CROYAIS
QUE TU ...

ÉCOUTEZ... ÉCOUTE,
JIM. JE VIENS DE
TROUVER TES
COORDONNÉES
SUR FACEBOOK.
IL FAUT QU'ON
SE VOIE. JE DOIS
ABSOLUMENT
PARLER AVEC TOI DE
MON PASSÉ...

JE NE DEMANDE QUE ÇA, JASON ! SI TU SAVAIS
COMME J'AI PENSÉ À TOI DURANT TOUTES CES
ANNÉES... J'ENSEIGNE À PLYMOUTH, MAINTENANT.
APRÈS L'OBTENTION DE NOS DIPLÔMES ET TA
DISPARITION À BOULDER, J'AI VOULU ME RAPPROCHER
DES SOURCES DU MAYFLOWER ET DE CAPE COD.
J'IMAGINE QUE TU N'AS PAS OUBLIÉ...

EH BIEN... SI. J'AI TOUT OUBLIÉ.
CELA FAIT PARTIE DES
RAISONS POUR LESQUELLES
IL FAUT QUE JE TE VOIE. EN
PARTANT TÔT, JE POURRAIS
ÊTRE CHEZ TOI VERS MIDI. AU
FAIT... NE SOIS PAS ÉTONNÉ
MAIS... MON VISAGE A AUSSI
CHANGÉ. JE T'EXPLIQUERAI.

IL RESTE TA VOIX, JASON...
ELLE N'A PAS CHANGÉ...

MOI, LES RETROUVAILLES DE
COPAINS DE CLASSE, ÇA
M'ÉMEUT TOUJOURS.

REPÈRE
L'ADRESSE DE
CE TYPE SUR
FACEBOOK ET
TRANSMETS-LA À
LA CENTRALE AU
LIEU DE DIRE DES
CONNERIES.

TU VOIS, DOROTHY !
JE TE L'AVAIS DIT QUE
JE NE FAISAIS PAS TOUT
CE TRAVAIL POUR RIEN.
IL EST VIVANT ! TU TE
RENDS COMPTE ?
IL EST VI-VANT !

12

DRIIIING

TU AS ENTENDU, DOROTHY? CE SERAIT DÉJÀ LUI?

JASON! ENFIN!

JASON?... C'EST BIEN TOI?

SLAM

ALLONS, NE GIGOTE PAS AINSI. TU TE FAIS SOUFFRIR PLUS LONGTEMPS POUR RIEN...

CRAOK

MAIS REGARDEZ QUI VOILÀ!

C'EST QUI, QUI VA ALLER FAIRE UN PETIT TOUR SUR LE TOIT AVEC SON MAÎTRE, MMMH?...

13

EXACTEMENT COMME JULIANNE L'AVAIT PRÉVU. LEVÉ À 5 H00 ; SIX HEURES DE ROUTE. IL A MÊME UN PETIT QUART D'HEURE D'AVANCE. TIMING PARFAIT.

EXCUSEZ-MOI, MESDAMES. C'EST BIEN LA MAISON DE JIM DRAKE ?

LE PAUVRE ! APPAREMMENT, IL ESSAYAIT DE RÉCUPÉRER SON CHAT SUR LE TOIT.

QUELLE IMPRUDENCE AVEC CE VENT !

LES GAMINS L'ONT VU TOMBER ET ONT TOUT DE SUITE APPELÉ À L'AIDE. ILS VIENNENT DE L'EMMENER AU JORDAN HOSPITAL.

TU ES CERTAIN QUE DRAKE EST MORT ? PARCE QUE, LÀ, JE SENS QUE CE GARS VA À L'HÔPITAL.

HÉ ! C'EST TOI QUI M'AS DEMANDÉ DE MAQUILLER ÇA EN ACCIDENT ! CERVICALES BRISÉES À L'AVANCE OU PAS, LE VOL PLANÉ RESTE TOUJOURS MOINS EFFICACE QUE LE PRUNEAU ENTRE LES YEUX. À TOI D'ASSUMER, MA POULE !

DÉSOLÉE, M. MAC LANE. JE N'AI PAS PLUS D'INFORMATIONS ET SI VOUS N'ÊTES PAS DE LA FAMILLE DE M. DRAKE...

EXCUSEZ-MOI. VOUS ÊTES JASON MAC LANE ?

NOUS NOUS CONNAISSONS ?

PAS ENCORE. MAIS DEPUIS QU'IL A REPRIS CONNAISSANCE, M. DRAKE NE RÉCLAME QU'UNE CHOSE : VOTRE PRÉSENCE. SUIVEZ-MOI, IL Y A URGENCE...

14

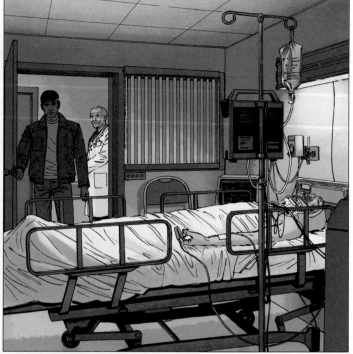

JE VAIS ÊTRE FRANC. NUQUE BRISÉE, DOUBLE HÉMORRAGIE CÉRÉBRALE... NOUS NE POUVONS PLUS RIEN POUR M. DRAKE À PART LUI ÉVITER D'INUTILES SOUFFRANCES DURANT SES DERNIERS INSTANTS. JE SUIS DÉSOLÉ.

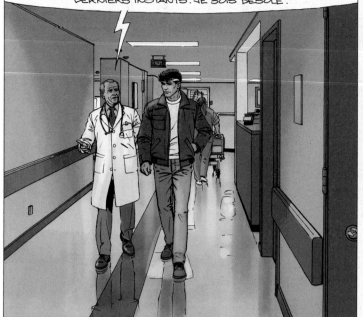

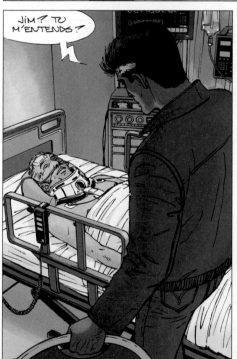

JIM ? TU M'ENTENDS ?

JASON ?... C'EST BIEN TOI ! COMME JE SUIS CONTENT...

UN HOMME EST VENU... LE TEMPS DE ME RENDRE COMPTE QU'IL N'AVAIT PAS TA VOIX ET... UNE DOULEUR EFFROYABLE AU COU... JE ME SUIS RÉVEILLÉ ICI.

TU TE SOUVIENS DE NOS BAGARRES DE CHAMBRÉE À SAINT ANDREW ET BOULDER UNIVERSITY ? JE M'ÉTAIS ENTIÈREMENT CONSACRÉ À L'HISTOIRE DU PAYS TANDIS QUE TOI... TOI, TU ÉTUDIAIS LA POLITIQUE SUR LES CONSEILS DE TON... FAMEUX "PARRAIN" QUAND TU N'ÉTAIS PAS SUR TES SKIS, BIEN SÛR, OU AVEC TON COPAIN SEAMUS... SEAMUS COMMENT, DÉJÀ ?

SEAMUS O'NEIL.

O'NEIL ! C'EST ÇA ! JE CROIS BIEN QUE MIKE KEANE ET MOI ÉTIONS UN PEU JALOUX DE VOTRE AMITIÉ... PAUVRE MIKE. CE QUI LUI ARRIVE EST TELLEMENT INJUSTE. TU TE SOUVIENS DE...

JE NE ME SOUVIENS VRAIMENT DE RIEN, JIM, JE SUIS DÉSOLÉ. IL N'Y A QUE TOI QUI PUISSES M'AIDER À RETROUVER MON PASSÉ...

TU AS... RAISON. JE ME DOUTE BIEN QU'ON M'A AGRESSÉ POUR... POUR QUE JE NE PUISSE PAS TE PARLER. IL FAUT ABSOLUMENT QUE TU SACHES... J'AI POURSUIVI MES RECHERCHES APRÈS TA DISPARITION SUBITE DE BOULDER...

AAAAH !

15

CALME-TOI, JIM. JE VAIS RAPPELER L'INFIRMIÈRE.

NON... PAS LE TEMPS... ÉCOUTE. LES CONJURÉS DE LA FLEUR DE MAI, LE... LE MANUSCRIT DE DUNCAN, L'ORIGINE DE... LA FONDATION. TOUT CE QUE TON PARRAIN T'AVAIT DIT EST VRAI. TU ES LE... AAAH!... TOUT EST CONSIGNÉ DANS LE CAHIER ROUGE... TU DOIS...

JE... JE PARS, JASON! JE LE SENS... VA CHEZ MOI. LE DOUBLE DE MES ARCHIVES... LA PAGE 243... DOROTHY? ELLE A TOUT! SOIS PRUDENT... TOI, MON MEILLEUR AMI... AAAAAH!...

TIIIIIII

JIM!? JIM!!!

INFIRMIÈRE! VITE!

JE SUIS DÉSOLÉE, MONSIEUR. C'EST FINI. C'ÉTAIT UN PROCHE?

C'ÉTAIT... UN AMI D'ENFANCE. UN TRÈS BON AMI...

...D'APRÈS CE QU'IL M'A DIT.

JORDAN
HOSPITAL

JE SUIS UNE VOISINE DE M. JIM DRAKE QUI A EU UN GRAVE ACCIDENT CE MATIN. TOUT LE QUARTIER S'INQUIÈTE POUR LUI ET...

JE SUIS DÉSOLÉE, MADAME... ON VIENT DE M'APPRENDRE LE DÉCÈS DE M. DRAKE. VRAIMENT NAVRÉE.

16

DAN ? DRAKE EST MORT. MÊME S'IL A PARLÉ À MAC LANE, IL N'A PAS DÛ AVOIR LE TEMPS DE LUI DIRE GRAND-CHOSE. MAIS IL VA VENIR FOUILLER, C'EST SÛR. DONC, DÉPÊCHE-TOI. IL FAUT ÊTRE CERTAIN QU'IL NE TROUVERA PLUS RIEN. JE SERAI LÀ DANS DIX MINUTES.

PSSST ! M'SIEU !

J'VOUS AI VU, TOUT À L'HEURE. VOUS ÊTES UN AMI DE M'SIEU DRAKE ?

OUI. UN AMI...

J'VOULAIS JUSTE VOUS PRÉVENIR. L'HOMME QUI ÉTAIT VENU RENDRE VISITE À M'SIEU DRAKE AVANT SON "ACCIDENT", IL AVAIT PAS L'AIR D'ÊTRE UN AMI, LUI. MAIS... IL EST REVENU. IL EST RENTRÉ PAR L'ARRIÈRE DANS LA MAISON !

OH ! REGARDEZ !

SURPRISE !

17

18

RIEN NE T'ÉCHAPPE, TOI ! TU T'APPELLES COMMENT ?!

ALFIE THOMSON, M'SIEU !

DITES, POUR M'SIEU DRAKE...? C'EST UN CHOUETTE VOISIN. IL...

IL NE REVIENDRA PAS, ALFIE. JE SUIS DÉSOLÉ.

J'AI TROIS SERVICES À TE DEMANDER : UN, PRENDRE SOIN DU CHAT DE JIM DRAKE. SI TU NE PEUX PAS, TU TROUVERAS BIEN UNE BONNE ÂME POUR L'ADOPTER. DEUX, M'INDIQUER LE GARAGE LE PLUS PROCHE. ET TROIS, OUBLIER DE PARLER DE MOI QUAND LES POMPIERS ARRIVERONT.

C'EST BON. M'SIEU DRAKE ÉTAIT AUSSI MON AMI. POUR VOS PNEUS, IL Y A LE GARAGE DE WILLIE À 500 MÈTRES.

LE TRAVAIL EST FAIT, BRAD. PLUS DE JIM DRAKE ET PLUS D'ARCHIVES. COMME NOUS AVONS LE CARNET, LES RECHERCHES DE MAC LANE S'ARRÊTENT LÀ.

BEAU BOULOT. REJOIGNEZ VOTRE PLANQUE ET N'EN BOUGEZ PAS PENDANT AU MOINS UNE SEMAINE. JE VOUS ENVOIE QUELQU'UN POUR PRENDRE LES NOTES DE DRAKE.

BRAD MALLOCK CONFIRME QUE TOUT EST EN ORDRE, MADAME. JIM DRAKE EST ÉLIMINÉ. MAC LANE SE TROUVE DONC À LA CASE DÉPART. PAR AILLEURS, L'OPÉRATION "SHEPERD" EST POUR CE SOIR. LA PRESSION MISE SUR MAC LANE SERA AU MAXIMUM QUAND L'ÉQUIPE DE BAR HARBOR INTERVIENDRA À NOUVEAU.

19

PAINTED DESERT, ARIZONA. 18H00.

TU ES CERTAIN QUE ÇA SUFFIRA ?

D'APRÈS LE "PHARMACIEN" IL Y EN A DEUX FOIS TROP...

IL N'Y A PLUS QU'À ATTENDRE.

AVANT DEMAIN MATIN, ILS AURONT TOUS INGURGITÉ UN PEU D'EAU EN BUVANT LEUR POTAGE, EN PRENANT LEUR DOUCHE OU EN SE LAVANT LES DENTS.

DIBIDIP DIBIDIP...

MMH ?... O.K. JE LE PRÉVIENS.

PSSST! SHEPERD!

C'EST POUR CE SOIR. VOUS NE TOUCHEZ PLUS À RIEN !

20

22

12 HEURES PLUS TARD.

Camera 00

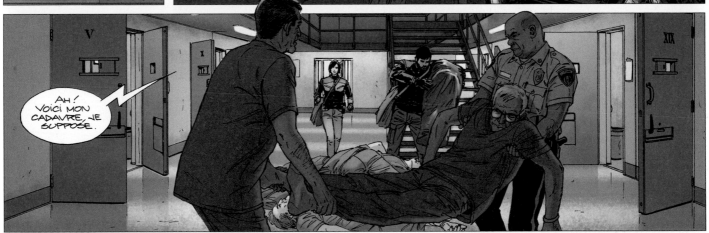

AH ! VOICI MON CADAVRE, JE SUPPOSE.

DÉPÊCHEZ-VOUS DE VOUS HABILLER PENDANT QUE JE METTRAI VOTRE TENUE SUR LE CORPS DE LA DOUBLURE...

VOUS ÊTES CERTAINS QU'ILS NE POURRONT PAS...?

SÛR DE SÛR ! MÊME LA DENTITION A ÉTÉ TRAFIQUÉE. CE TYPE, CE SERA VOUS À 100%, EXTRAITS D'ADN COMPRIS !

N'OUBLIE PAS ! LES EXPLOSIFS BIEN AU CENTRE SOUS LES CORPS...

OUAIS, OUAIS. JE CONNAIS MON BOULOT, T'INQUIÈTE !

ET MA DOUBLURE À MOI ?! ELLE EST OÙ ?

À CE SUJET... NOS PATRONS SE SONT DIT QU'AVEC TON PHYSIQUE ACCROCHEUR, LE PLUS CRÉDIBLE...

... CE SERAIT QUE TU JOUES TON PROPRE RÔLE.

PAN

21

23

MAIS...?! CE N'ÉTAIT PAS PRÉVU! POURQUOI...?

FINISSEZ DE VOUS HABILLER ET REJOIGNEZ-NOUS À L'ARRIÈRE DU HUMMER GARÉ DANS LA COUR, JE VOUS PRIE.

CLIC CLIC CLIC...

CLIC CLIC CLIC...

CLIC CLIC CLIC...

RICK! TU ES PRÊT?!

ENCORE CELLE-LÀ ET... HOP!...

...IL N'Y A PLUS QUE LES IMAGES DE LA CAMÉRA DE L'ENTRÉE. J'ARRIVE.

CLIC CLIC

Camera 0

GRIMPEZ, SHEPERD! QU'EST-CE QUE VOUS ATTENDEZ?

Camera 001

CLIC

WAOUMMMM

22

NORD DU WYOMING, RANCH "DOUBLE BAR.Ø", PROPRIÉTÉ D'AMALIA CARRINGTON.

MAIS ENFIN ! C'EST POURTANT HYPRA SIMPLE, PAPY !...

...TU CLIQUES SUR GOOGLE IMAGES, PUIS TU...

UNE SECONDE, FILS ! TU VAS TROP VITE ET PUIS, ARRÊTE DE M'APPELER PAPY !

BILILI, BILILI, BI...

D'ACCORD, "GÉNÉRAL". N'EMPÊCHE QUE T'ES DUR À LA DÉTENTE, JE TE JURE...

CARRINGTON. J'ÉCOUTE... AH, BOB ! COMMENT ÇA SE PASSE DEPUIS TA PROMOTION À LA COORDINATION DES SERVICES ? J'IMAGINE QU'IL Y A...

LES NEWS ? NON, PAS ENCORE... MAINTENANT ? SUR ABS ? BON. UNE MINUTE...

...MAIS IL ÉTAIT MALHEUREUSE-MENT TROP TARD POUR POUVOIR SAUVER DES VIES. JE... JE NE PEUX PAS VOUS EN DIRE PLUS POUR L'INSTANT.

DU FAIT DE LA SPÉCIFICITÉ DE CE PÉNITENCIER, LE FBI A RAPIDEMENT BOUCLÉ LE PÉRIMÈTRE APRÈS L'ÉVACUATION DES CADAVRES VERS LA SALLE PAROISSIALE DE TUBA CITY IMPROVISÉE EN CHAPELLE ARDENTE. JE VOUS RAPPELLE DÈS QUE J'AI DE NOUVELLES INFORMATIONS.

Priscilla BLACK

MERCI, PRISCILLA. C'ÉTAIT DÉJÀ SUR NOTRE CHAÎNE QUE FUT RÉVÉLÉ EN DIRECT L'HALLUCINANT DÉNOUE-MENT DE LA "CONJURATION DES XX"*. DE CES VINGT DIGNITAIRES QUI AVAIENT COMMANDITÉ L'ASSASSINAT DU PRÉSIDENT WILLIAM SHERIDAN DANS LE BUT D'INSTAURER UNE DICTATURE D'EXTRÊME DROITE DANS NOTRE PAYS, SEULS NEUF AVAIENT SURVÉCU...

Peter GOODFELLOW

*VOIR TOME 18, "LE JUGEMENT".

23

25

PEU APRÈS LES RÉVÉLATIONS DE NOTRE ÉMISSION ET LE DÉCÈS BRUTAL DU PRÉSIDENT WALLY SHERIDAN, CES NEUF CONJURÉS AVAIENT ÉTÉ JUGÉS À HUIS CLOS, CONDAMNÉS À DE LOURDES PEINES ET ENFERMÉS DANS CE VIEUX PÉNITENCIER DE PAINTED DESERT, ARIZONA, RÉAFFECTÉ À LEUR SEUL USAGE. QUI A EU INTÉRÊT À ÉLIMINER LES DERNIERS TÉMOINS DE CE COMPLOT HISTORIQUE ? C'EST LA QUESTION QUE TOUT LE MONDE...

BEN ? TU ES TOUJOURS LÀ ?...

QUE VEUX-TU QUE JE TE DISE, BOB ? JE DÉCOUVRE TOUT CELA À L'INSTANT ET JE N'Y COMPRENDS RIEN. C'EST TOI QUI ES TOUJOURS DANS LE SERVICE ACTIF AVEC DES MILLIERS D'AGENTS POUR...

JUSTEMENT, BEN. DEPUIS L'ATTENTAT, AUCUN DE MES HOMMES N'EST PARVENU À LOCALISER JASON MAC LANE, ALIAS LE FAUX NUMÉRO XIII DE LA CONJURATION DES XX... TU N'AURAIS PAS UNE IDÉE DE L'ENDROIT OÙ IL SE TROUVE, TOI QUI LE CONNAIS BIEN ?

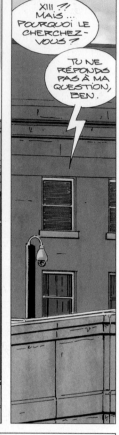

XIII ?! MAIS... POURQUOI LE CHERCHEZ-VOUS ?

TU NE RÉPONDS PAS À MA QUESTION, BEN.

EH BIEN... JE NE LUI AI PLUS PARLÉ DEPUIS AU MOINS TROIS SEMAINES ET COMME IL N'AIME PAS LES TÉLÉPHONES PORTABLES... MAIS... ATTENDS ! NE ME DIS PAS QUE TU FAIS UN LIEN ENTRE...

TU ES PRÈS DE TON ORDINATEUR ?... PARFAIT. JE SUIS EN TRAIN DE T'ENVOYER UN MAIL QUI CONTIENT UN DOCUMENT VIDÉO.

TU Y ES ?... BON. CLIQUE SUR LA VIDÉO ET REGARDE ATTENTIVEMENT. J'AI REÇU ÇA DU FBI. LA PRESSE N'EST ÉVIDEMMENT PAS AU COURANT. LE TUEUR SEMBLE AVOIR OUBLIÉ LA CAMÉRA DE L'ENTRÉE QUI EST INDÉPENDANTE DE TOUTES CELLES DU RÉSEAU INTÉRIEUR...

LE VÉHICULE A DÛ RENTRER GRÂCE À UNE COMPLICITÉ INTERNE. NOTRE TUEUR L'A ENSUITE ÉLIMINÉE PUISQUE LE NOMBRE DE CADAVRES RETROUVÉS EN PIÈCES SEMBLE CORRESPONDRE AU NOMBRE DE DÉTENUS AJOUTÉ À CELUI DES GARDIENS. MAIS, EN SORTANT, NOTRE HOMME OUBLIE DE RELEVER SA VITRE...

TU VOIS BIEN LA MÊME CHOSE QUE NOUS, BEN ?

24

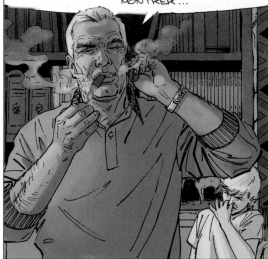

ALLONS, BOB ! N'IMPORTE QUI PEUT
DESSINER UN SIGLE SUR SA CLAVICULE. ET
PUIS, J'IMAGINE MAL MAC LANE "OUBLIER"
DE RELEVER SA VITRE, COMME POUR MIEUX
MONTRER...

BEN ! NOS PSYS
DISENT QU'IL A TRÈS
BIEN PU PÉTER UN
CÂBLE. DU FAIT DE SA
LÉSION AU CERVEAU
ET DE TOUT CE QU'IL
A VÉCU... SANS
PARLER DE SA
FRUSTRATION DE NE
PAS AVOIR RECOUVRÉ
SA MÉMOIRE ! CELA
ARRIVE, TU SAIS,
MÊME AUX PLUS
FORTS...

JE NE DEMANDE
QU'À PROUVER
L'INNOCENCE DE TON
AMI, BEN. MAIS POUR
CELA, IL FAUT QU'ON
LE RETROUVE
AVANT CEUX DU
FBI, SI POSSIBLE
...

J'IGNORE TOTALEMENT OÙ
IL SE TROUVE, JE T'ASSURE.
SI J'AI DES NOUVELLES, JE
T'APPELLERAI... MERCI DE
M'AVOIR PRÉVENU.

VOUS AVEZ DE LA CHANCE QUE
MON COUSIN EN AVAIT EN STOCK !
S'IL AVAIT FALLU COMMANDER
VOS PNEUS AU FOURNISSEUR,
C'ÉTAIT DEUX JOURS
D'ATTENTE !

IL PARAÎT QUE JE
SUIS DU GENRE
"VERNI".

DRIIING
DRIIING...

CLAC !...
"VOUS ÊTES BIEN CHEZ
MAC LANE. MERCI DE
LAISSER UN MESSAGE." CLAC !
JASON ? C'EST CARRINGTON. IL
FAUT QUE TU ME TÉLÉPHONES
AU RANCH DÈS QUE TU
RENTRES, MON GARÇON. NE
PARLE À PERSONNE AVANT
DE M'APPELER, O.K. ?
À BIENTÔT...
CLAC !

27

CELA TIENT TOUJOURS, TA PROPOSITION DE PLONGÉE ? ON A PERDU UN FILIN ET, AVEC STEVE, ON S'ÉTAIT DIT QUE PEUT-ÊTRE...

PAS DE PROBLÈME, JOE. CE SERAIT POUR QUAND ?

BAR HARBOR, MAINE.
SIX HEURES PLUS TARD.

TÛÛÛT

EH BIEN... LE PLUS TÔT SERAIT LE MIEUX. NOUS AVONS PEUR QUE LES COURANTS EMMÈNENT NOS CASIERS ET...

COMPRIS... DONNE-MOI TON NUMÉRO ET JE T'APPELLE DANS L'HEURE POUR CONFIRMER, O.K. ?

26

NOTRE AMI N'ARRIVE PAS SEUL. ON DIRAIT QUE LE SHÉRIF LOCAL A REÇU POUR INSTRUCTION DE LE SURVEILLER... SANS CONSIGNE PARTICULIÈRE DE DISCRÉTION.

JE L'AMADOUERAI PLUS FACILEMENT SEULE. SORS PAR LÀ ET COUVRE-MOI DEPUIS L'EXTÉRIEUR, AU CAS OÙ...

J'IMAGINE QUE CET ACCESSOIRE EST À VOUS, MLLE "JULIANNE".?

JE... EFFECTIVEMENT. C'EST KARL, MON... COLLÈGUE.

SI TOUS VOS COLLÈGUES SONT AUSSI INEFFICACES QUE CELUI-LÀ, JE COMPRENDS QUE VOUS SOYEZ OBLIGÉE DE RECRUTER D'URGENCE.

MAIS JE VOUS AI DÉJÀ DIT QUE JE NE SUIS PAS INTÉRESSÉ. RAMASSEZ VOTRE "MUSCLOR" ET SORTEZ EN VITESSE AVANT QUE J'APPELLE LA POLICE.

LA POLICE ? J'EN DOUTE FORT, M. MAC LANE. VOUS ÊTES SANS DOUTE LE SEUL AMÉRICAIN QUI NE REGARDE PAS "ASSEZ" LA TÉLÉVISION.

27

VOUS N'ALLEZ PAS ÊTRE DÉÇU PAR LE SPECTACLE. TOUTES LES CHAÎNES NE PARLENT QUE DE VOUS DEPUIS QUELQUES HEURES.

...AUTRE POSSIBILITÉ AVANCÉE, L'ATTENTAT DE PAINTED DESERT SERAIT UN ACTE DE VENGEANCE D'UNE ANCIENNE VICTIME DES XX. RARES SONT CEPENDANT CELLES QUI AURAIENT ÉTÉ CAPABLES DE MONTER UNE TELLE OPÉRATION. PARMI LES NOMS DES SUSPECTS PLAUSIBLES...

Lucy KV

...CIRCULE ÉVIDEMMENT CELUI DE JASON MAC LANE, L'ANCIEN BAROUDEUR QUI AVAIT LUI-MÊME RÉVÉLÉ SUR CETTE CHAÎNE QU'IL AVAIT SERVI D'APPÂT AU GOUVERNEMENT AVANT D'ÊTRE TRAHI ET DE PERDRE LA MÉMOIRE. AURAIT-IL "CRAQUÉ" À L'INSTAR D'ANCIENS VÉTÉRANS DU VIETNAM OU DU GOLFE QUI...

QU'EST-CE QUE C'EST QUE CE DÉLIRE ?

À VOUS DE ME LE DIRE, M. MAC LANE. COMME LA PLUPART DES HABITANTS DE CE PAYS, J'AI APPRIS, IL Y A QUELQUES HEURES, QUE LE PÉNITENCIER DE PAINTED DESERT AVAIT ÉTÉ DYNAMITÉ. AUCUN SURVIVANT...

...D'OÙ LES SUPPUTATIONS DES JOURNALISTES SUR L'ŒUVRE D'UN FOU... OU D'UN HOMME QUE SON GOUVERNEMENT A FORTEMENT DÉÇU. COMME VOUS, PAR EXEMPLE...

COMME L'AFFAIRE EST SUR TOUTES LES CHAÎNES DE TÉLÉ, JE SUIS VENUE VOUS RÉITÉRER NOTRE OFFRE. VOUS N'ALLEZ QUAND MÊME PAS NOUS EN VOULOIR D'ESSAYER DE VOUS AIDER ?

JE NE COMPRENDS RIEN À CETTE HISTOIRE ET JE ME PASSERAI DE VOTRE AIDE. MAINTENANT, RAMASSEZ VOTRE GORILLE, SORTEZ ET NE REVENEZ PLUS ! DERNIÈRE SOMMATION !

VOUS AVEZ TOUJOURS MON NUMÉRO. J'ATTENDRAI VOTRE APPEL JUSQU'À CE SOIR, M. MAC LANE. APRÈS, JE SAURAI QUE VOUS REFUSEZ DÉFINITIVEMENT NOTRE OFFRE AMICALE.

VOUS PERDEZ VOTRE TEMPS.

QUI SAIT ? J'AI LAISSÉ UN DERNIER ARGUMENT SUR VOTRE TABLE DE CUISINE : UNE SORTE D'ACOMPTE SUR NOTRE PROCHAINE COLLABORATION... OU UN DÉDOMMAGEMENT POUR LE DÉRANGEMENT. ET UN DERNIER CONSEIL : N'UTILISEZ PLUS VOTRE TÉLÉPHONE. LE FBI VOUS A DÉJÀ "ACCROCHÉ"...

28

ÇA NE S'ARRÊTERA DONC JAMAIS !

SLAM

BON. D'ABORD, LE MESSAGE...

CLAC !...
JASON ? C'EST CARRINGTON. IL FAUT QUE TU ME TÉLÉPHONES AU RANCH DÈS QUE TU RENTRES, MON GARÇON. NE PARLE À PERSONNE AVANT DE M'APPELER, O.K. ? À BIENTÔT...
CLAC !...

CETTE JULIANNE A RAISON SUR DEUX POINTS AU MOINS. SI ON ME RECHERCHE, CARRINGTON DOIT ÊTRE SURVEILLÉ. QUANT AUX FÉDÉRAUX, SI C'EST EUX QUI ONT DEMANDÉ À LA POLICE LOCALE DE ME TENIR À L'ŒIL...

... C'EST EN ATTENDANT QU'ILS ARRIVENT...

CET IDIOT S'EST LAISSÉ PRENDRE AU PIÈGE.

N'EN SOIS PAS SI SÛR. J'AI BIEN LU SON DOSSIER : IL EN A SURPRIS D'AUTRES QUE TOI OU CES AGENTS... REGARDE L'ÉCRAN. LA PUCE GPS VIENT DE S'ACTIVER. IL S'EST TIRÉ AVEC LA LIASSE DE BILLETS !

29

IL SE DIRIGE VERS LE PORT... ÉVIDEMMENT ! IL VA ESSAYER DE PRENDRE LE LARGE DANS TOUS LES SENS DU TERME ! APPELLE LA CENTRALE. ON VA AVOIR BESOIN DE RENFORT.

DAMN'!... TU N'AURAIS PAS VU MON PORTABLE ? JE ... JE NE LE RETROUVE PAS.

VROUM...

TU PERDS TON TEMPS, KARL. JE DEVINE OÙ IL EST, TON TÉLÉPHONE. ET LA BATTERIE DU MIEN QUI EST VIDE... SHIT! SHIT! SHIT!

BIG JOE ? C'EST JASON. COMME PROMIS, TU PEUX COMPTER SUR MOI POUR LA PLONGÉE. MAIS J'AIMERAIS QUE TU ME RENDES UN SERVICE... PARFAIT. DANS CE CAS, ÉCOUTE BIEN ...

UNE HEURE PLUS TARD...

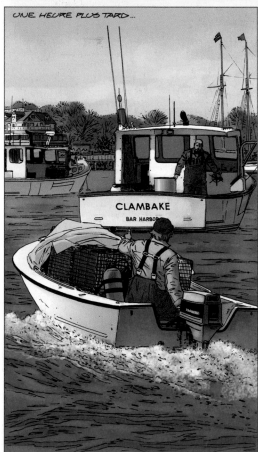

CLAMBAKE
BAR HARBOR

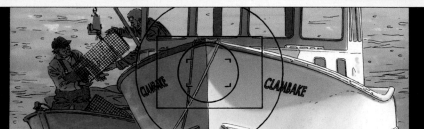

MA FEMME ET MOI AIMERIONS DÉCOUVRIR LA CÔTE ET SES FAMEUX PÊCHEURS DE HOMARDS. VOUS POURRIEZ NOUS AIDER ?

30

HÉ! TU T'RENDS COMPTE, JOE? MÊME EN MER, MA SŒUR ME HARCÈLE AVEC SES MESSAGES!

O.K.! JASON! PERSONNE EN VUE! TU PEUX SORTIR.

MERCI, JOE. JE T'EXPLIQUERAI PLUS TARD CE QUI...

TU N'AS RIEN À M'EXPLIQUER, JASON. ET JE NE SUIS MÊME PAS SÛR DE VOULOIR SAVOIR. À PARTIR DE MAINTENANT, IL N'Y A PLUS QUE LES HOMARDS QUI COMPTENT.

BIEN DIT! QU'ELLE ME LÂCHE UN PEU AVEC L'ÉDUCATION DE SA FILLE, CELLE-LÀ!

CLAMBAKE

UNE FOIS AU FOND, LE BUT EST DE RETROUVER LE FILIN QUI A LÂCHÉ CETTE BOUÉE LORS DE LA DERNIÈRE TEMPÊTE.

QUAND TU LE TIENS, TU VEILLES À CE QU'IL PASSE BIEN DANS CHAQUE ATTACHE DES CASIERS PERDUS. ENSUITE, TU LE REMONTES POUR QU'ON PUISSE Y RATTACHER LA BOUÉE. COMPRIS?

TU AS RATÉ UNE CARRIÈRE DE SERGENT INSTRUCTEUR, CROIS-MOI!

VOUS VOUS FOUTEZ DE MOI?! C'EST ÉVIDENT QU'IL EST À BORD DU "CLAMBAKE"!

ON AVAIT POURTANT ÉTÉ CLAIRS: VOUS NOUS GARDEZ AU FRAIS JUSQU'À NOTRE ARRIVÉE! C'ÉTAIT TROP COMPLIQUÉ POUR VOUS?

QUE...VOUS VOUS PRENEZ POUR QUI, AU FBI? DE TOUTE FAÇON, OÙ VOULEZ-VOUS QU'IL AILLE? QUAND BIG JOE REVIENDRA AU PORT, VOUS N'AUREZ QU'À LE CUEILLIR S'IL EST À BORD, VOTRE BARBOUZE! JE SERAI LE PREMIER HEUREUX D'EN ÊTRE DÉBARRASSÉ, CROYEZ-MOI!

31

T'AS VU LA TAILLE DE CELUI-CI? EXTRA! FAUT QUE J'APPELLE CONNIE! CE SOIR, ÇA LUI FERA OUBLIER LES CRISES DE SON ADOLESCENTE...

TIENS?! QU'EST-CE QUE LE VIEUX SAM VIENT FAIRE PAR ICI?

J'TE MENS PAS, CONNIE! AU MOINS 6 KILOS! BON... FAUT QUE J'TE LAISSE. Y A SAM QUI RAPPLIQUE AVEC UN COUPLE DE TOURISTES... TIENS, OUAIS. BONNE IDÉE. JE LUI DEMANDE. UNE SECONDE...

SALUT, SAM! QUELLE BONNE VAGUE T'AMÈNE?

JE FAIS DÉCOUVRIR LA CÔTE À CE COUPLE. ILS SOUHAITAIENT VOIR DE PRÈS UNE PÊCHE AUX HOMARDS. ALORS, J'AI PENSÉ...

TU AS PENSÉ QUE C'ÉTAIT CHEZ NOUS QU'ILS VERRAIENT LES PLUS BELLES PIÈCES ET TU AVAIS RAISON! TU AS VU CELUI-CI? AU FAIT! ÇA TE DIRAIT DE VENIR LE MANGER CHEZ CONNIE, CE SOIR?...

ALLÔ! TU ES LÀ, STEVE?... ALORS? SAM VIENDRA MANGER OU PAS?... ALLÔ? STEVE?...

ESPÈCE DE FILS DE...

DÉSOLÉ, FISHERMAN. RIEN DE PERSONNEL, JE T'ASSURE.

N'OUBLIONS PAS LE DÉTAIL "QUI TUE".

N'OUBLIE PAS NON PLUS DE TRANSBORDER SES AFFAIRES.

STEVE... JOE ?...

DÉPÊCHONS ! IL NE VA PAS TARDER À REMONTER.

35

BONSOIR, M. MAC LANE!

VOUS AVEZ OUBLIÉ DE NOUS APPELER AVANT DE PARTIR. DEPUIS LE PORT, J'AI DÉDUIT DE LA PRÉSENCE DU PETIT CANOT À MOTEUR ACCROCHÉ AU CHALUTIER DE VOTRE NOUVEL AMI QUE VOUS N'AVIEZ PAS L'INTENTION DE REVENIR À BAR HARBOR. NI PEUT-ÊTRE MÊME AUX ÉTATS-UNIS. OR, NOUS AVONS BESOIN DE VOUS...

SALE PETITE VERMINE! JE N'AI PAS ÉTÉ ASSEZ CLAIR?

SI, JUSTEMENT! JE ME SUIS DIT QU'IL FALLAIT DONC TROUVER DE NOUVEAUX ARGUMENTS. KARL?

NON! NE FAITES PAS...

NE BOUGEZ PAS. DE TOUTE FAÇON, VOUS NE POUVEZ PLUS RIEN FAIRE POUR LUI.

IL EST AUSSI MORT QUE VOS DEUX COPAINS PÊCHEURS. ET JE SUIS AU REGRET DE VOUS ANNONCER QU'APRÈS AVOIR FAIT SAUTER LE PÉNITENCIER DE PAINTED DESERT, C'EST ÉGALEMENT VOUS QUI AVEZ COMMIS CES CRIMES CRAPULEUX. LA POLICE DE BAR HARBOR AINSI QUE LE FBI VONT EN RECEVOIR LA PREUVE SOUS PEU, VOS EMPREINTES À L'APPUI.

BIENTÔT, TU SERAS LE PSYCHOPATHE LE PLUS RECHERCHÉ DU PAYS! MAIS, COUP DE BOL POUR TOI, NOUS SOMMES LÀ, CHAMPION! MAINTENANT QUE TU TRAVAILLES POUR L'USAFE....

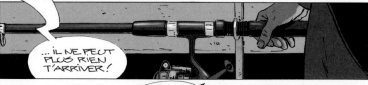

...IL NE PEUT PLUS RIEN T'ARRIVER!

AH!

WHiiiP

34

CLONG

JE.... JE NE VOIS PLUS RIEN ! KAAARL !

JE TE CONSEILLE DE LEVER LES PIEDS, "CHAMPION"! JE VAIS ASPIRER SOUS TA CHAISE !

QUE...? NON ! NOOOOON !

VRÔÔÔ

KARL ?! KAAAARL !

AAAAAAH!

Deidre
Bar Harbor

RRRÔÔ

ARRÊTEZ LE BATEAU ! ARRÊTEZ OU JE TIRE !

VOS DÉSIRS SONT DES ORDRES, JULIANNE !

AAAH!

AU CAS OÙ VOUS NE VERRIEZ PLUS TRÈS CLAIR, LA CÔTE EST JUSTE DERRIÈRE VOUS. BIEN DES CHOSES À VOS PATRONS !

VOUS NE NOUS ÉCHAPPEREZ PAS, NUMÉRO XIII !...

ON N'ÉCHAPPE NI À SON PASSÉ NI À LA FLEUR DE...

BRRRRÔÔÔÔÔÔ

CLAMBAKE

SI LE BATEAU EST REVENU AVEC LE CANOT À MOTEUR, OÙ A-T-IL BIEN PU PASSER ?

LA BAGARRE A ÉTÉ PLUTÔT "HARD". PEUT-ÊTRE QUE CEUX-CI L'ONT TUÉ ET BALANCÉ PAR-DESSUS BORD AVANT DE VENIR MOURIR ICI ?...

J'ESPÈRE BIEN QU'IL EST EN TRAIN DE SE FAIRE BOUFFER PAR LES HOMARDS ! TOUT ÇA, C'EST LA FAUTE DE VOS CONNARDS DE PATRONS QUI FABRIQUENT DES TUEURS ET QUI LES LÂCHENT ENSUITE DANS LA NATURE, SANS CONTRÔLE !

FOUTEZ LE CAMP, MAINTENANT ! BAR HARBOR A EU SON QUOTA DE MORTS À CAUSE DE VOTRE "XIII PORTE-MALHEUR" !

Phone

36

C'ÉTAIT BRAD MALLOCK. L'ÉQUIPE DE BAR HARBOR A ÉCHOUÉ. MAC LANE A RÉUSSI À S'ÉCHAPPER EN BATEAU. IL DOIT ÊTRE LOIN CAR L'INFORMATION A MIS PLUS DE TROIS HEURES À NOUS PARVENIR.

MAINTENANT QUE NOUS LUI AVONS MIS LE FBI SUR LE DOS DANS L'ESPOIR QU'IL REJOIGNE NOS RANGS PLUS FACILEMENT, IL VA SE CACHER. ET À CE JEU-LÀ, NOUS SAVONS QU'IL EST TRÈS FORT...

DÉPLOYEZ LES MOYENS QU'IL FAUT. SI CE JIM DRAKE A PU RÉUNIR AUTANT D'INFORMATIONS DANS SON DOSSIER, D'AUTRES PEUVENT LE FAIRE AUSSI. NOUS DEVONS METTRE LA MAIN SUR JASON MAC LANE AVANT QU'IL NE S'APPROCHE DE LA VÉRITÉ.

BON SÉJOUR EN FRANCE, M. DORFF.

39

37

MERCI BIEN, BERNARD. TU EMBRASSERAS CAROLINE DE MA PART.

MERCI, BETTY. MES SALUTATIONS À MONSIEUR LE DUC.

TOUT VA BIEN, JASON ?

TRÈS BIEN, BETTY. ORGANISATION PARFAITE.

...ET VOILÀ. VOUS SAVEZ TOUT. GRÂCE À L'ARGENT DE JULIANNE ET AUX PAPIERS DE KARL, J'AI REJOINT MONTRÉAL. LÀ, J'AI PRIS LE PREMIER VOL POUR PARIS AVANT QUE LE FBI OU QUE LES "RECRUTEURS" DE L'USAFE N'AIENT LE TEMPS DE RÉAGIR.

IL NE ME RESTAIT PLUS QU'À ORGANISER AVEC VOUS MON ARRIVÉE DISCRÈTE. JE NE VEUX SURTOUT PAS VOUS CRÉER D'ENNUIS...

VOUS VOULEZ RIRE, JASON ! BETTY ET MOI SOMMES TOUT SIMPLEMENT RAVIS QUE VOUS AYEZ PENSÉ À NOUS POUR VOUS AIDER. SINON, À QUOI SERVIRAIENT LES AMIS, DITES-MOI ?

38

RÉSUMONS-NOUS. VOTRE NOUVELLE PSY VOUS CONFIRME QU'UN ÉLÉMENT DE VOTRE SUBCONSCIENT VOUS INTERDIT DE ROUVRIR LE PASSÉ. POUR VOUS AIDER, F.I.L.F. ORGANISE CETTE SÉANCE DE STIMULATION CÉRÉBRALE QUI VOUS PERMET DE RETROUVER CE FAMEUX JIM DRAKE.

COMME VOUS ÊTES DE TOUTE ÉVIDENCE SUR ÉCOUTE, VOS "AMIS" DE L'USAFE VOUS DEVANCENT ET L'ÉLIMINENT. CES GENS VEULENT QUE VOUS TRAVAILLIEZ POUR EUX ET, COMME VOUS REFUSEZ, ILS METTENT UN TAS DE CRIMES SUR LE DOS AFIN QUE VOUS N'AYEZ D'AUTRE CHOIX QUE VOUS RÉFUGIER CHEZ EUX. POURQUOI ? MYSTÈRE.

JE N'AI AUCUNE PREUVE DE L'IMPLICATION DE CETTE SOCIÉTÉ... ET J'AI PEU D'AUTRES PISTES. JIM A PARLÉ D'UN CERTAIN MIKE KEANE ET D'UNE "DOROTHY"! MAIS J'IGNORE TOUT DE CES GENS.

ATTENDEZ !

IL NOUS RESTE LES AUTRES MOTS PRONONCÉS PAR CE PAUVRE JIM DRAKE. QUE VOUS ÉVOQUENT LE NOM DE DUNCAN OU L'EXPRESSION "CONJURÉS DE... LA FLEUR DE MAI"? C'EST BIEN CE QU'IL A DIT ?

CE SONT SES MOTS EXACTS. MAIS ILS NE M'ÉVOQUENT RIEN...

LA FLEUR DE MAI... LE MAYFLOWER ! C'EST ÇA ?

BRAVO, MA CHÈRE !

EXCUSEZ-MOI MAIS... C'EST QUOI, LE MAYFLOWER ? AU TÉLÉPHONE, JIM DRAKE AVAIT DÉJÀ MENTIONNÉ CE NOM.

SI C'EST LE CAS, JE NE M'EN RAPPELLE PAS.

VOUS ÊTES SÉRIEUX ? VOUS N'AVEZ PAS EU DROIT À L'INCONTOURNABLE COUPLET SUR LE MAYFLOWER À L'ÉCOLE ?

IL FAUDRA EN PARLER À VOTRE PSY ! AUCUN AMÉRICAIN SCOLARISÉ N'IGNORE L'HISTOIRE DU MAYFLOWER. VOUS QUI N'AVEZ PAS PERDU LA FACULTÉ DE LIRE OU DE CALCULER, VOUS NE POUVEZ PAS AVOIR "OUBLIÉ" CE RÉCIT SANS RAISON...

EN ATTENDANT, SI VOUS POUVIEZ ME RÉSUMER CETTE HISTOIRE...

AVEC PLAISIR, TRÈS CHER. ATTENDEZ... JE ME SOUVIENS QUE J'AVAIS UN LIVRE AVEC DE SUPERBES ILLUSTRATIONS D'UN ARTISTE FLAMAND...

AH ! LE VOILÀ ! C'EST UN SUJET QUI M'A TOUJOURS PASSIONNÉ. L'HISTOIRE DU MAYFLOWER EST UN DES MYTHES FONDATEURS DES ÉTATS-UNIS, VOUS SAVEZ !

POUR MIEUX COMPRENDRE, NOUS DEVONS REMONTER RAPIDEMENT DANS LE TEMPS ET REVENIR À LA DÉCOUVERTE "OFFICIELLE" DE L'AMÉRIQUE...

39

Si on oublie les expéditions de Vikings aux environs de l'an Mille, tout le monde s'accorde pour reconnaître à Christophe Colomb la découverte de l'Amérique en 1492, alors qu'il cherchait une nouvelle route maritime vers les Indes pour le compte de la reine d'Espagne.

Les Espagnols et les Portugais mettront des décennies à construire leurs colonies et à exploiter les métaux précieux d'Amérique du Sud. Pendant ce temps, ils ne s'intéressent pas au nord du continent… Et le perdront pour toujours.

Les premiers à s'aventurer au nord seront les Français.
François 1er enverra le Florentin Giovanni da Verrazano en reconnaissance.
C'est lui qui pénétrera le premier dans la baie de la future New York, le 17 avril 1524, à bord de son trois-mâts ; La Dauphine.

Ne trouvant pas d'or, Verrazano revient en France et il faudra attendre 1535 pour que Jacques Cartier reparte jusqu'à l'embouchure du fleuve Saint-Laurent et fonde la ville de Québec ainsi que les bases d'une présence française durable en Amérique.

Les Anglais ne s'intéresseront au Nouveau Monde qu'avec beaucoup de retard sur leurs « concurrents » européens. Au milieu du règne d'Élisabeth 1re, la querelle religieuse entre catholiques et protestants s'apaise un peu et l'économie renaissante du pays encourage quelques nouveaux explorateurs à tenter l'aventure.

C'est cependant avec Jacques 1er, successeur de la reine Élisabeth, que la colonisation anglaise de l'Amérique du Nord prend réellement son essor. L'Amérique devient une sorte de rêve pour tous les délaissés de l'Angleterre.

En 1606, le roi accorde une charte à deux compagnies commerciales, la première établie à Plymouth et la seconde à Londres. Ces associations de marchands réunissent les fonds nécessaires pour armer les bateaux qui emmènent les colons. En échange, ceux-ci s'engagent à travailler pour le compte des compagnies pour au moins sept années !

Le 26 avril 1607, le *Susan Constant*, le *Godspeed* et le *Discovery* de la Compagnie de Londres remontent la James River en Virginie et fondent la colonie de Jamestown. Personne ne le sait encore, mais l'Histoire des États-Unis vient de réellement commencer !

Au début, la vie des colons est très dure : les conflits avec les Indiens, la démotivation des immigrés non propriétaires et le problème du peuplement...

... – il n'y a aucune femme à bord des premiers bateaux ! – font que les volontaires sont moins nombreux. Mais les compagnies commerciales vont s'ingénier à trouver des solutions à tous ces problèmes...

C'EST À CETTE ÉPOQUE QU'INTERVIENT LE RÉCIT DES COLONS ARRIVÉS EN AMÉRIQUE À BORD DU FAMEUX MAYFLOWER... SUR LEQUEL UN BON NOMBRE DE PASSAGERS ONT EMBARQUÉ POUR DES RAISONS NON PAS ÉCONOMIQUES, MAIS BIEN RELIGIEUSES !

41

Depuis 1534, l'Église d'Angleterre ne reconnaît plus l'autorité de la Curie de Rome. Très vite, l'influence des idées calvinistes va faire évoluer l'anglicanisme vers le protestantisme et faire naître une myriade d'Églises périphériques.

L'Église anglicane, qui a pour chef le roi d'Angleterre, ne voit pas d'un bon œil la naissance de toutes ces Églises dissidentes car elles rejettent toute forme de hiérarchie religieuse et ne veulent se soumettre qu'à la morale qui découle des textes bibliques.

Elles veulent un christianisme « pur », d'où le terme de « Puritains » !

Parmi ces congrégations séparatistes, l'histoire de celle des pèlerins puritains du *Mayflower* commence le 16 septembre 1620. Ce matin-là, le bateau quitte Plymouth et la Vieille Europe. L'équipage de 30 hommes emmène les 102 passagers pour un voyage d'environ 3 000 miles.

Entassés sur un bateau d'à peine 39 mètres de long, ces croyants subiront soixante-six jours d'un véritable enfer car c'est la pleine saison des tempêtes de l'Atlantique Nord !

Mais peu importe car la Virginie est leur « Nouvelle Terre Promise » !

Après un arrêt de ravitaillement à Terre-Neuve, le *Mayflower* arrive au large de Cape Cod le 21 novembre 1620.

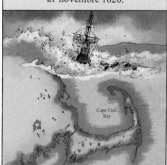

Deux jours plus tard, les passagers font un premier débarquement à hauteur de l'actuelle Provincetown.

Les voyageurs renoncent alors à poursuivre leur voyage jusqu'en Virginie. Menace d'une nouvelle tempête à laquelle n'aurait pas résisté le bateau fatigué ou volonté d'indépendance des pèlerins soucieux d'échapper à la lourde autorité de la « Compagnie de Virginie » de Londres ? Personne ne le sait avec exactitude…

42

Le 21 décembre, après avoir exploré les côtes de la région, les passagers s'installent à l'intérieur des terres à environ 50 kilomètres au sud-est de l'actuelle Boston pour y fonder la Plymouth Plantation.

Il ne leur reste plus qu'à organiser leur nouvelle vie dans le respect du « Compact Act », sorte de « Constitution locale » que les pèlerins avaient pris soin de rédiger avant même de débarquer du *Mayflower* afin de garantir l'unité et le respect de règles communes dans leur colonie.

Quand le printemps revient en 1621, le terrible hiver n'a épargné que 52 passagers. Ces fameux « Old Comers » vont s'installer et apprendre la culture du maïs au contact des Indiens Wampanoag.
Le vieux *Mayflower*, lui, reprend la route pour l'Angleterre.
Il l'atteindra le 16 mai… et plus personne n'entendra jamais parler de lui.

Au premier anniversaire de leur accostage, les pèlerins survivants invitèrent les Indiens à partager un repas d'Action de Grâce pour remercier Dieu de les avoir sauvés. C'est là l'origine de la fête de Thanksgiving et du fait que les Pères Pèlerins sont considérés par beaucoup comme les premiers vrais Américains.

DEPUIS, LES LÉGENDES ONT FOISONNÉ AUTOUR DU VOYAGE DU MAYFLOWER ET DE SES PASSAGERS DONT CERTAINS DESCENDANTS REVENDIQUERAIENT TOUJOURS L'HÉRITAGE : UNE PURETÉ MORALE ET RELIGIEUSE AMÉRICAINE DONT N'OSERAIT RÊVER LE PLUS CONSERVATEUR DES RÉPUBLICAINS…

TRÈS INTÉRESSANT. MAIS EN QUOI MA VIE AURAIT-ELLE QUELQUE CHOSE À VOIR AVEC CE MAYFLOWER ? CELA N'A PAS DE SENS !

CELA SEMBLAIT EN AVOIR POUR VOTRE AMI JIM DRAKE… INTERNET PROPOSE DES MILLIERS DE PAGES SUR LE MAYFLOWER. VOUS AVEZ DE QUOI PASSER LE TEMPS PENDANT QUE VOUS VOUS FEREZ OUBLIER QUELQUE TEMPS CHEZ NOUS.

43

BOSTON, MASSACHUSETTS.

MME LA VICE-PRÉSIDENTE, JE VOUS PRÉSENTE JULIANNE.

MERCI, M. MALLOCK. VOUS POUVEZ NOUS LAISSER.

ENTREZ, MADEMOISELLE.

JE SUIS TRÈS HONORÉE DE VOTRE INVITATION, MME LA VICE-PRÉSIDENTE.

JE CONNAIS BIEN VOTRE DOSSIER, JULIANNE, AINSI QUE VOTRE RÉCENT ÉCHEC DANS LA TENTATIVE DE RÉCUPÉRER JASON MAC LANE. UNE SUPERBE JEUNE FEMME COMME VOUS, VEXÉE ET DÉFIGURÉE...

JE DEVINE LÀ DES SOURCES DE MOTIVATION ET DE LA HAINE QUI VONT M'ÊTRE TRÈS UTILES.

LE LIEU EST IMPRESSIONNANT, N'EST-CE PAS ? MÊME SI L'IMMEUBLE EST PLUS RÉCENT, C'EST AUTOUR DE CETTE TABLE QUE LE CONSEIL D'ADMINISTRATION DE LA FONDATION SE RÉUNIT TOUS LES 21 DÉCEMBRE DEPUIS PRÈS DE QUATRE CENTS ANS !

QUATRE SIÈCLES DE LUTTE POUR QUEL RÉSULTAT ? NOS ENNEMIS ONT PROFITÉ DU DÉSASTRE DE LA CONJURATION DES XX POUR FAIRE ÉLIRE LE PREMIER HOMME NOIR À LA PRÉSIDENCE DE LA NATION ! CETTE HONTE EST EN GRANDE PARTIE ARRIVÉE À CAUSE DE CET HOMME...

JE NE VOUS LE PRÉSENTE PLUS.

M. MALLOCK VOUS A FAIT ÉTUDIER LE DOSSIER "XIII" À MA DEMANDE. DITES-MOI CE QUE VOUS EN AVEZ RETENU D'ESSENTIEL.

JASON MAC LANE ÉTAIT UN AGENT SURDOUÉ, RECRUTÉ PAR L'AMIRAL CARL HEIDEGER ET TRANSFORMÉ PHYSIQUEMENT EN STEVE ROWLAND, ALIAS NOTRE DÉFUNT N°XIII. SA MISSION ÉTAIT DE SERVIR D'APPÂT POUR REMONTER LA FILIÈRE DU COMPLOT DES XX QUI AVAIENT ÉLIMINÉ LE PRÉSIDENT WILLIAM SHERIDAN POUR LE COMPTE DE LA FONDATION.

AU DÉBUT DE SA MISSION, MAC LANE A ÉTÉ BLESSÉ À LA TÊTE ET FRAPPÉ D'AMNÉSIE, CE QUI A EU POUR EFFET DE LE RENDRE INCONTRÔLABLE POUR TOUTES LES PARTIES. C'EST EN CHERCHANT À COMPRENDRE SON PROPRE PASSÉ QUE MAC LANE A FAIT ÉCHOUER LE COUP D'ÉTAT. SUITE À VOTRE DEMANDE RÉCENTE, NOUS AVONS ESSAYÉ DE LE RÉ...... ?

À VOTRE AVIS, JULIANNE, POURQUOI TENONS-NOUS TANT À LE RÉCUPÉRER ?

L'HOMME NE PEUT AVOIR AUCUNE CONNAISSANCE DE L'ORGANISATION QUI SE TENAIT DERRIÈRE LA CONJURATION DES XX. LA RAISON SERAIT DONC... LA DÉTERMINATION À NOUS FAIRE JUSTICE ?

DÉTROMPEZ-VOUS. UNE ORGANISATION NE SURVIT PAS QUATRE SIÈCLES EN SE LAISSANT CONTRÔLER PAR DE SI FUTILES SENTIMENTS. SI LES ÉLÉMENTS ÉTABLIS DANS LE DOSSIER "XIII" SONT EXACTS... ILS SONT SURTOUT INCOMPLETS !

NOTRE FONDATION POSSÉDANT UN DES SERVICES D'ENQUÊTES GÉNÉALOGIQUES LES PLUS POINTUS DE LA PLANÈTE, J'AI CREUSÉ LE PASSÉ LOINTAIN DE CE MAC LANE... ET J'AI FAIT UNE DÉCOUVERTE QUI NOUS INTERDIT DE LE LAISSER EN LIBERTÉ.

NOUS SAVONS QUE JASON MAC LANE EST, APRÈS SON PÈRE, SEAN MULLWAY, LE SEUL DESCENDANT DE HENRY O'KEEFE, DÉBARQUÉ EN AMÉRIQUE EN 1869. CE QUE NOTRE DOSSIER NE DISAIT PAS, C'EST...

QUI ÉTAIT HENRY O'KEEFE !

Henry O'KEEFE 1848 -1910				
Liam MAC LANE 1878 - 1960	Jenny 1881 - 1949	George MULLWAY 1878 - 1911	Kate 1883 - 1957	Jack CALLAHAN 1878 - 1911
	Francis 1934	Mary 1911 - 1943	Jimmy 1906 - 1910	Debo 1908 -
		Sean 1935 - ...	Carla 1940 - 1961	
		Jason 1961 - ...		

NÉ LE 15 MARS 1848 À GALWAY, EN IRLANDE DU SUD, IL ÉTAIT LE FILS DE MARY O'KEEFE, UNE JOLIE IRLANDAISE DÉLURÉE QUI AVAIT CONNU UNE PASSION AUSSI BRÈVE QU'IMPRUDENTE AVEC UN INCONNU DÉBARQUÉ DE NEW YORK VERS LA FIN 1846. LE DOSSIER NE DIT PAS NON PLUS QUE CETTE RELATION CESSA BRUSQUEMENT LE SOIR DU 7 JUIN 1847. DATE ÉVOCATRICE, S'IL EN EST...

LE 7 JUIN... À GALWAY ?! LE JOUR DE L'ÉLIMINATION DE JAMES DUNCAN ? LE LEADER DE...

VOUS AVEZ COMPRIS. L'ENQUÊTE DE NOS GÉNÉALOGISTES A ÉTÉ CONFIRMÉE PAR UNE ANALYSE ADN COMPARATIVE : HENRY O'KEEFE ÉTAIT BIEN LE FILS ILLÉGITIME DE JAMES DUNCAN !

L'ÉLIMINATION DE DUNCAN N'A DONC PAS DÉFINITIVEMENT ÉTEINT LA BRANCHE 3. APRÈS LA MORT DE SON PÈRE, SEAN MULLWAY, JASON MAC LANE EN SERA DONC LE DERNIER DESCENDANT... ET HÉRITIER !

DIEU SAIT CE QUE RENFERME LA MÉMOIRE D'ENFANCE DE MAC LANE. LE TÉMOIGNAGE DU PASSÉ A PU ÊTRE TRANSMIS AU JEUNE JASON PAR JONATHAN MAC LANE OU QUELQU'UN D'AUTRE. NOUS DEVONS DONC LE RÉCUPÉRER... ET VÉRIFIER.

GRÂCE À L'ÉVASION RÉUSSIE DE NOTRE ANCIEN MINISTRE DE LA DÉFENSE, ELLERY SHEPERD, NOUS AVONS REPRIS LE CONTRÔLE SUR NOS RÉSEAUX AU SEIN DES FORCES ARMÉES. NOUS AVONS IDENTIFIÉ LE SEUL APPÂT QUI POURRAIT FAIRE SORTIR CE N° XIII DE SA TANIÈRE. VOUS CONNAISSEZ SON NOM MAIS PAS ENCORE SON VISAGE...

LE VOICI.

DORÉNAVANT, VOUS TRAVAILLEZ SOUS MES ORDRES DIRECTS, JULIANNE. RAMENEZ-MOI CE NUMÉRO XIII ! JE SAURAI VOUS MONTRER MA GRATITUDE...

FIN DE L'ÉPISODE

I. JIGOUNOV - Y. SENTE

46

DÉCOUVREZ LE NOUVEAU

XIII
mystery

RÉVÉLATIONS EN SÉRIE !

Durant sa quête d'identité, XIII croise de nombreux personnages qui laissent une forte impression. C'est pour permettre à des nouveaux auteurs d'approfondir certains de ces personnages que William Vance et Jean Van Hamme ont souhaité créer la série XIII Mystery.

Dans chaque album, un nouveau tandem d'auteurs s'attaque aux secrets d'un personnage. Leurs histoires peuvent se dérouler aussi bien dans le passé, au cours de la série ou pourquoi pas dans le futur. Elles donnent toujours un éclairage nouveau à un épisode connu des lecteurs. Et leur permettent de découvrir que la vérité est souvent différente de ce qu'ils avaient cru comprendre...

F. BOUCQ – D. ALCANTE

XIII
mystery

COLONEL AMOS

DARGAUD

FRANÇOIS BOUCQ AU DESSIN ET DIDIER ALCANTE AU SCÉNARIO VOUS PRÉSENTENT EN EXCLUSIVITÉ LES PREMIÈRES PLANCHES DU TOME 4 DE XIII MYSTERY !

CLICK

BRAOWM

FBI!
PERSONNE
NE BOUGE
!!!

FOUILLEZ-MOI
TOUT ÇA,
ET RAMENEZ-LE-
MOI!

MMMPFFF

BON SANG !
IL EST...

LÂCHEZ VOTRE ARME ! VOUS N'AVEZ AUCUNE CHANCE !

PAW PAW PAW

BOUCLEZ LE QUARTIER !!!

ÇA VA, COLONEL? VOUS N'AVEZ RIEN ?!?

NON, MAIS OCCUPEZ-VOUS DU FUYARD, BON SANG !

ET MERDE !

UNE BOMBE !

ÉVACUATION !

mystery

LES ALBUMS DE XIII MYSTERY DÉJÀ PARUS :

1 • LA MANGOUSTE
Par Meyer et Dorison

2 • IRINA
Par Berthet et Corbeyran

3 • LITTLE JONES
Par Henninot et Yann

4 • COLONEL AMOS
Par Boucq et Alcante

À paraître en 2012 :
STEVE ROWLAND – Par Guérineau et Nury

LA CHARTE
XIII MYSTERY

1

Tous les albums de XIII Mystery reçoivent l'imprimatur de William Vance
et de Jean Van Hamme. Celui-ci, véritable chef d'orchestre de XIII Mystery,
veille à ce que chaque histoire s'intègre parfaitement dans la saga XIII et l'enrichisse.

2

Chaque album raconte une histoire complète centrée
sur un personnage clé choisi par les auteurs.

3

Chaque album de XIII Mystery apporte un élément, un éclairage nouveau,
un secret sur la série XIII pour en rendre une nouvelle lecture encore plus passionnante.

4

Chaque album doit refléter la personnalité de ses auteurs, des scénaristes et dessinateurs
qui changent à chaque album pour coller au personnage.